"Dyna ..."
meddai Medwyn

Cyhoeddwyd 2004 gan Wasg y Dref Wen,
28 Ffordd yr Eglwys, Yr Eglwys Newydd,
Caerdydd CF14 2EA, ffôn 029 20617860.
Cyhoeddwyd yn gyntaf yn y Deyrnas Unedig yn 2001
Cyhoeddwyd y fersiwn hwn yn 2003 gan Egmont Children's Books Limited,
Adran o Egmont Holding Limited
239 Kensington High Street, Llundain W8 6SA
dan y teitl *"Here I am" said Smedley*
Cyhoeddwyd fersiwn clawr caled gan Lyfrgell Heinemann,
Adran o Reed Educational and Professional Publishing Limited,
trwy drefniant gyda Egmont Books Limited.

Testun a lluniau©Jan Fearnley 2001
Y mae'r awdur/arlunydd wedi datgan ei hawl moesol.
Y fersiwn Gymraeg © 2004 Dref Wen Cyf.
Argraffwyd a chlymwyd yn yr Eidal

"Dyma fi!"
meddai Medwyn

gan Simon Puttock

darluniau gan Martin ac Ann Chatterton

addasiad gan Catrin Hughes

Bananas Glas

I Andrew
S.P.

I Sophie a Danny
M.C.

Roedd Medwyn y madfall symudliw yn swil iawn.

Roedd e mor swil fel y byddai'n ceisio diflannu'n llwyr i'r cefndir. Ble bynnag yr oedd e, byddai'n diflannu. Allai e ddim peidio.

Gartref, daeth Medwyn yn rhan o'r dodrefn. Roedd ei fam a'i dad yn ei chael hi'n anodd dod o hyd iddo.

'Dyma fi!' meddai Medwyn.

Yn yr ysgol, roedd ei guddliw cystal fel nad oedd neb yn sylwi arno.

'Ble mae Medwyn?' holai pawb.

'Dyma fi!' meddai Medwyn, ond yn dawel, gan ei fod mor swil. Doedd e byth yn rhan o'r hwyl. Roedd e'n rhy brysur yn ceisio diflannu.

Yna, un diwrnod, daeth merch newydd i'r dosbarth.

Ei henw oedd Sulwen Sginc, ac roedd hi'n lliwgar a llachar. Gwisgai sbectol borffor a rubanau gwyrdd yn ei gwallt. Roedd pawb yn sylwi ar Sulwen.

'Gei di eistedd nesaf at Medwyn,' meddai'r athro. 'O leia, rwy'n credu taw ti sydd yno, yntê Medwyn?' ychwanegodd, gan syllu'n ofalus arno.

Roedd Medwyn yn brysur yn ceisio diflannu.

Chwarddodd y criw o ferched oedd yn eistedd yn y rhes gefn.

Diflannodd Medwyn ychydig mwy.

'Helo,' meddai Sulwen Sginc.

'Hefo fi wyt ti'n siarad?' gofynnodd
Medwyn.

'Wel ie, pwy arall?' meddai Sulwen, gan
symud ei haeliau nes bod ei sbectol yn
siglo. 'Y dyn anweledig?'

'O,' meddai Medwyn yn swil. 'Helo.'

Mae hi'n
... neis

Amser egwyl, daeth Sulwen i chwarae gyda Medwyn. Teimlai Medwyn braidd yn nerfus yn sefyll nesaf at rywun oedd mor AMLWG.

'Hei, Sulwen, hefo pwy wyt ti'n siarad?'

gofynnodd y criw o ferched.

'Rwy'n sgwrsio gyda fy ffrind talentog,

Medwyn,' meddai Sulwen Sginc.

Rhedodd y merched oddi yno gan chwerthin.

Talentog! Gwridodd Medwyn gan ddiflannu i'r wal y tu ôl iddo. 'Esgusoda fi,' meddai'n dawel, 'ond pam ydw i'n dalentog?'

'PAM WYT TI'N DALENTOG?' llefodd Sulwen Sginc.

'Mawredd, Medwyn! Ti yw'r gorau 'rioed am greu cuddliw, y gorau am ddiflannu i'r cefndir. Gallai talent fel yna dy wneud yn enwog.'

'O,' meddai Medwyn yn dawel. Doedd e erioed wedi meddwl am fod yn enwog o'r blaen.

'Wrth gwrs,' meddai Sulwen Sginc, 'dyw diflannu ddim yn bopeth. Mae 'na lawer o bethau eraill y gallet ti eu gwneud gyda dy dalent di.'

'Er enghraifft,' meddai hi, gan bwyntio at boster, 'gallet ti ennill y wobr gyntaf yn Arddangosfa Gelf y Ddinas Fawr.'

Arddangosfa Gelf y Ddinas Fawr! Gwobr Gyntaf! Waw! Ond –

'Alla i ddim gwneud HYNNY!' meddai Medwyn, wedi dychryn. 'Beth taswn i'n ENNILL? Byddai pawb yn EDRYCH arna i!'

'Yn hollol,' meddai Sulwen Sginc, 'a byddai PAWB yn gweld mor dalentog wyt ti.'

Doedd Medwyn ddim yn siŵr. 'A beth bynnag,' meddai, 'Dydw i ddim yn gallu tynnu lluniau.'

'DDIM YN GALLU TYNNU LLUNIAU?' bloeddiodd Sulwen. 'A beth yn union wyt ti'n gredu ti'n ei wneud trwy'r dydd?'

'Medwyn, llun WYT ti. Lluniau o bob math. Gallet ti wneud i ti dy hun edrych fel unrhyw beth ti'n moyn.'

'Alla i?' holodd Medwyn, gan ryfeddu.

'Wrth gwrs y gallet ti. A dweud y gwir, gallet ti wirioneddol sefyll mas.'

'O, na,' meddai Medwyn yn swil, 'allwn i byth wneud hynny.'

Ond roedd llais bach yng nghefn meddwl
Medwyn yn holi, tybed a fyddai mor ofnadwy
pe bai pobl yn sylwi arno? Dechreuodd
Medwyn ymarfer o flaen y drych yn ei stafell.
Ceisiodd fod yn un lliw drosto.

Cyn hir, gallai wneud patrwm stribedog

a phatrwm smotiog.

Yna, un noson, trodd ei hun yn dusw o flodau. 'Waw!' meddai Medwyn. Roedd yn rhaid iddo gyfaddef, roedd e'n eitha da. Ond allai e wneud hyn o flaen pobl eraill?

O'r diwedd, mentrodd ddweud wrth Sulwen

Sginc beth oedd e'n ei wneud. 'Gwych!'

meddai Sulwen. 'Pam na ddangosi di i mi?'

'Amhosibl!' meddai Medwyn. Ond y tu

mewn iddo, roedd y llais bach yn dweud,

'Tybed a fedrwn i? Efallai?'

Yn y dosbarth, rhoddodd nodyn i Sulwen.

Dim ond un gair oedd arno. 'Edrycha'.

Edrychodd Sulwen.

Tynnodd Medwyn anadl ddofn gan geisio bod yn ddewr, ac estynnodd ei law.

Yno, ar gledr ei law, roedd blodyn hyfryd.

Simsanodd y blodyn fymryn cyn diflannu.

Ysgrifennodd Sulwen nodyn a'i basio 'nôl at
Medwyn. Dywedai 'WAW! ARDDERCHOG,
ANHYGOEL!'

Wedi hynny, bu Medwyn yn ymarfer yn
amlach nag erioed. Sulwen oedd ei
gynulleidfa. Roedd hi'n dda am ei annog e.

Ar fore Arddangosfa Gelf y Ddinas Fawr, roedd Sulwen yn GWYBOD fod Medwyn yn barod.

Oriel Gelf y Ddinas Fawr

'Wyt ti WIR yn credu y galla i wneud e?' gofynnodd Medwyn yn swil.

'Yn bendant,' meddai Sulwen. 'Hawdd fel baw!'

Roedd Arddangosfa Gelf y Ddinas Fawr

yn dechrau am chwech o'r gloch. Roedd

yn rhaid i bawb oedd am gystadlu gael

rhif. Aeth Medwyn i aros am ei rif e.

'Ble mae dy ddarlun di?' holodd y fenyw

wrth y ddesg.

'Syrpréis yw e,' meddai Medwyn yn

dawel, ac aeth i sefyll yn y gofod oedd â'i

rif ef arno.

Am chwech o'r gloch, paratôdd Medwyn

ei hun. 'Gelli wneud hyn,' meddai'r llais

bach y tu mewn iddo. Ac yn y fan honno,

o flaen cannoedd o bobl …

peidiodd
Medwyn
â cheisio
diflannu.

Dechreuodd wneud ei hun yn amlwg. Yn raddol bach, trodd ei hun yn fachlud trofannol,

yn batrwm prysur, lliwgar,

yn don o'r môr,

ac yn olaf oll, yn dusw hardd o flodau.

'Dyma fi!' meddai'r llais bach hwnnw y tu mewn i Medwyn, 'DYMA FI!' gwaeddodd.

Sylwodd PAWB ar Medwyn, a chymeradwyodd PAWB, hyd yn oed y criw merched.

'Da iawn, Medwyn,' gwaeddodd Sulwen Sginc, 'brafo!'

Wrth gwrs, enillodd Medwyn y wobr gyntaf.

Daeth ffotograffydd o'r papur newydd i

dynnu llun Medwyn yn sefyll wrth ei rif.

O diar. Doedd Medwyn ddim rhy siŵr am

HYNNY!

Ar ôl yr arddangosfa, cerddodd Sulwen a
Medwyn am adref. Roedd Medwyn yn
dawel iawn.

'Wyt ti'n falch y gwnest ti hynny,
Medwyn?' gofynnodd Sulwen.

'Ym …' meddai Medwyn.

'Roeddet ti'n WYCH!' meddai Sulwen.

'Ym …' meddai Medwyn.

'A dweud y gwir, ti yw'r gorau 'rioed!'
meddai Sulwen.

Pan gyrhaeddodd y ddau at dŷ Medwyn, roedd gan Medwyn anrheg arbennig i Sulwen.

'Mae'r rhain i ti,' meddai'n sydyn, gan roi tusw mawr o flodau hardd iddi. 'I ddweud diolch.'

'Diolch i TI,' meddai Sulwen. 'Mae'n fraint cael ffrind sydd â thalent mor arbennig.'

Aeth Medwyn, oedd yn ceisio'i orau i ddiflannu, yn binc drosto.

'Ac mae'n fraint,' meddai yntau'n swil, 'dy gael DI fel ffrind.'

'O!' meddai Sulwen, gan droi'n binc hefyd.

'Ym ....' siglodd ei sbectol i fyny ac i lawr. Arhosodd Medwyn, ond ddywedodd Sulwen yr un gair arall.

Roedd hi'n teimlo'n swil.

Wrth gwrs, mae Medwyn yn dal i ddiflannu ar adegau. Ond weithiau, mae'n sefyll allan!